流浪记 全集

少年儿童出版社

摄于1947年张乐平先生在创作《三毛流浪记》时

出版前言

张乐平（1910.11—1992.9），浙江海盐人，中国杰出的漫画家，一生创作了大量的漫画作品。从 20 世纪 20 年代在家乡绘制的第一幅漫画《一豕负五千元》，到 20 世纪 90 年代发表的《猫哺鼠》，他的画始终与时代的脉搏同步。他的整个创作，从一个侧面反映了近代社会的历史变迁，表达了人民在一定历史时期的思想感情，因此获得了巨大的成功。人们称他为"平民画家"。

作为漫画大师，张乐平的作品早已为广大读者所喜爱。同时，他又是一位在诸多画种中造诣很高的画家，他的年画、速写、素描、水彩画、剪纸、国画都达到了很高的水准。

张乐平创造了"三毛"。他笔下的"三毛"形象，已经成为家喻户晓的艺术典型。三毛的故事赢得了一切善良的人的共鸣。张乐平被誉为"三毛之父"、"三毛爷爷"。

张乐平与三毛活在几代中国人的心中。为了使张乐平先生的艺术完整地流传后世，我国将出版共 24 本的《张乐平艺术集》，这本创作于 1947—1949 年的《三毛流浪记》就是其中之一。

《三毛流浪记》自 1947 年 6 月 15 日至 1948 年 12 月 30 日在《大公报》上连载，1949 年 1 月 7 日和 4 月 4 日又发表了最后 2 幅。本书根据《大公报》刊登的内容，并补充了当时没有收录进去的 6 张原稿，整理后共有 261 页，比 1995 年版本又增加了 11 页，是出版最全的一本。

序

我怎样画三毛的
——为"三毛义展"写

张乐平

十五年前我开始动手画三毛，那时中国的漫画工作者似乎还甚少尝试不用文字对白的漫画创作；就是读者似乎也没有养成欣赏不用文字说明的漫画的风气。特别是长篇连载的漫画，作者似乎必须添上若干文字以补画笔的不足，而读者也似乎习惯于通过文字的媒介来了解画面的意义。

我画三毛，当然是一个冒险的尝试！我想尽可能减少借助文字的帮助，要让读者从我的画笔带来的线条去知道他所要知道的。但我对人生的体验太少，就拿我所要创造的三毛来说，虽然环绕在我周遭的正是成千成万的三毛，我从小就和这些识与不识的三毛身贴着身，心贴着心；我甚至可以这样说："我就是从三毛的世界长大的！"即使这样，我还不能说，我已彻底了解三毛的生活相。我还不敢保证我的画笔如实地把三毛的真面目毫无遗憾地传达给读者。

但我毕竟勇敢地舍弃运用连篇累牍的文字说白来创作三毛了。我每次新到一个地方，甚至我每天离开自己的屋子走到每一条大街上，我都可以看见我所要创作的人物。他们永远是瘦骨如柴，衣不蔽体，吃不饱，穿不暖，没有以避风雨的藏身之处，更谈不上享受温暖的家庭之乐与良好的教育。我们这个好社会到处就是充斥着这些小人物；充斥着这些所谓中国未来的主人翁；充斥着所谓新生的第二代。我愤怒，我咒诅，我发誓让我的画笔永远不停地为这些被侮辱与被损害的小朋友们控诉，为这些无辜的苦难的孩子们服务！尽管我的技巧还没有成熟，尽管我的观察还有遗漏，但我爱人类、爱成千成万在苦难中成长的孩子们的心是永远热烈的！十五年来，我把我对他们的同情、友爱，通过我的画笔付与三毛！我从未措意自己的劳苦，我更未计及自己的成败，我只一心一意通过三毛传达出人生的爱与恨、是与非、光明与黑暗……

十五年来，在我创作三毛的过程中，最使我感到安慰的，就是成千成万识与不识的小朋友们都爱看三毛；特别是在抗战胜利后，我先后在《申报》和《大公报》所发表的《三毛从军记》和《三毛流浪记》，曾经获得广大的读者支持，他们为三毛的痛苦而流泪，也为三毛的快乐而雀跃。千千万万识与不识的小读者们常常随画中人三毛的喜怒哀乐而喜怒哀乐。我就常常接到这样的读者投书："兹寄上毛线背心一件，祈费神转与张乐平先生，并请转告张先生将此背心为三毛着上。近来天气奇冷，而三毛身上仅着一破香港衫，此毛背心虽小，三毛或可能用，俾使其能稍驱寒冷，略获温暖，千万读者亦能安心矣。"这是成百成千感人心肺的例子之一。我常常为这些纯洁伟大的爱心所感动，我知道我的辛劳并没有白费，这也正是说明为什么我成年累月不眠不休地创造三毛的理由。

十五年来我画三毛，我忘不了开始时的孤单和寂寞；但现在却有着成千成万识与不识的朋友结伴而行。路本来是没有的，有人走才有路。毕竟我为自己开辟一条创作的路。三毛是不会孤独的，我自己也不再是孤独和寂寞的了。

孙夫人主办的儿童福利会,为了救济跟三毛同一命运的小朋友们举办"三毛义展"。我抱歉我的作品还没有成熟，特别是三十张彩色义卖作品，都是在病中赶画的，但是想起千千万万的三毛们因为孙夫人这一义举而得到实惠，作为三毛作者的我，还会有比这个更快乐的经验么？

一九四九年四月四日

题《三毛流浪记》

王芸生

《三毛流浪记》印成书本了，这必然是小朋友们的恩物。

《三毛流浪记》是接着《三毛从军记》画的，但张乐平先生的笔锋却完全改变了。"从军记"里的三毛，虽然很顽皮，但他所表现的，差不多都是英雄型的，是常人所不及的特殊人物。"流浪记"里的三毛，就完全不同了。他一出现，就是孤苦伶仃，辗转流浪。他有机会接受了一些人间温暖，但更多的是遭遇着人间的冷酷。小小的三毛，是在旅行着人间的现实。这现实，是冷酷多于温暖，残忍多于仁慈，丑恶多于良善，诈欺多于真情，不平多于公道。莫问孩子，请大人们想想，我们的世界是不是这样的呢？

三毛不是孤独的。他是多数中国孩子命运的象征，也是多数贫苦良善中国人民的命运象征。我们的现社会，对多数孩子是残忍的，对多数贫苦善良的人民又何尝不是残忍的？《三毛流浪记》不但揭露了人间的冷酷、残忍、丑恶、诈欺与不平，更可宝贵的，是它还在刺激着每个善良人类的同情心，尤其是在培养着千千万万孩子们的天真同情心！

把这份同情心培养长大，它会形成一种正义的力量，平人间的不平，改造我们的社会。——去掉一切冷酷、残忍、丑恶、诈欺与不平，发扬温暖、仁慈、良善、真理与公道！三毛奋斗吧！在你流浪的一串脚印上，可能踢翻人间的不平，启示人类的光明！

一九四八年三月二十三日　上海

《三毛流浪记》二集序

陈鹤琴

　　张乐平先生的《三毛流浪记》在《大公报》连载甚久，始终受读者的热烈欢迎，小朋友们对它尤其喜爱，我想这不是偶然的。在张先生的笔触下，把一个流浪儿童的可悲的凄苦的遭遇，他被奴役，被欺负，被凌辱，被残踏，表现得淋漓尽致。自然这不仅是三毛一个人的遭遇，为少数自私的好战者所掀起的残酷战争，制造了无数的三毛，炮火毁了他们的家园，枪杆夺去了他们的父母，逼他们在童稚之年就走上了茫茫无依的流浪道路，遭遇这种悲惨命运的儿童，在今日的中国，真不知有多少！

　　王芸生先生在《三毛流浪记》初集序文里说："三毛不是孤独的。他是多数中国孩子命运的象征，也是多数贫苦良善中国人民的命运象征。我们的现社会，对多数孩子是残忍的，对多数贫苦善良的人民又何尝不是残忍的？"我想：以我们目见耳闻所及，从三毛的遭遇上所见，用"残忍"两字来形容，还嫌太厚道些。且看图中"残羹剩饭""摆臭架子"几幅：那老板对待学徒的态度何止是"残忍"？他们根本不把学徒当人看待，自己大鱼大肉吃个酒醉饭饱，到"碗底翻天"，才有学徒的份儿；"摆臭架子"摆到自己不愿费一举手之劳，要累瘦削矮小的学徒，爬上凳子来替他斟茶，这种对儿童的虐待，简直是人类的耻辱。再看末后"人不如狗""两个世界"几幅：狗穿皮裘，人挨冻饿，这现象在都市社会里是屡见不鲜，决不是夸张其事；只隔一层窗，外面冰天雪地，衣不蔽体的三毛们在寒风中索索颤栗，窗内的豪富哥儿们，却开着热水汀、电炉，在吃冰淇淋，也正是这个社会的真实写照。人与人之间不平等到如此地步，人对待人的冷酷到如此地步，这不是人类的耻辱是什么？

　　末了我还得说一说：我很佩服三毛奋斗的精神和挣扎的勇气。他在流浪生活中，做报贩、擦皮鞋、当学徒，受尽苦难，始终不屈不挠，没有消失求生的勇气，这可正说明他是有前途的，三毛和其他无数的三毛们是有前途的，虽然"难得光明"，却不会永远一片漆黑，光明世界必有来临的一天，无数的三毛们必有结束可悲的凄苦的流浪，过温暖的"人"的生活的一天。

　　我谨在此为茫茫无依的流浪道路上受难的三毛们祝福。

一九四九年三月二十四日

代　序
夏　衍

　　三毛是上海市民最熟悉的一个人物，不仅孩子们熟悉他、欢喜他，同情他，连孩子们的家长、教师，提起三毛也似乎已经不是一个艺术家笔下创造出来的假想人物，而真像一个实际存在的惹人同情和欢喜的苦孩子了。一个艺术家创造出来的人物而能够得到这样广大人民的欢迎、同情、喜爱，和将他当作真有其事的实在人物一般的关心、传说，甚至有人写信给刊载三毛的报纸，表示愿意出钱出力来帮助解决他的困难，这毫无疑问的是艺术家的成功和荣誉。三毛的问题是一个社会问题、政治问题，所以在解放前的那一段最黑暗的时期之内，作家笔下的三毛的一言一行，也渐渐地从单纯的对弱小者的怜悯和同情，一变而成了对不合理的、人吃人的社会的抗议和控诉了。这是作家从残酷的生活中进一步地接触到了这个不合理的社会的本质，而开始对这野蛮的制度发生了反感和敌视的原故；而同时我们相信，假如三毛的作者不这样做，不去和残酷的现实生活作斗争，而架空地给他布置一个神话一般的可以搭救他的幻想的境遇，那么即使是天真的孩子们，也就不会这样地清早起来就要抢着报纸看三毛了。

　　值得庆幸的，是三毛的时代已经过去了。旧社会使人变成鬼，新社会就要使鬼变成人。三毛是善良的，勇敢的，经得起磨练的，那么让我们拭目以待新社会中的三毛的发展和进步吧。

一九五〇年一月二十日

三毛之父与我

三　毛

　　中国漫画大师张乐平先生，一直是我多年来心目中非常感念的一位长者。这件事情并不是因为今日海峡两岸的开始交流而产生的情怀，而是我在三岁时期，今生手中捧着的第一本"孩子书"就是张乐平先生所创作的一个漫画人物——那小小的、流浪的"三毛"。

　　记得当时，我方三岁，识字两三百个，并不懂得人间的一切悲欢，但是藉着《三毛流浪记》的漫画书，使我幼小的心灵，产生了一种朦胧的社会形态与意识，也使得我在那南京"大宅第"的童年生活里，多少懂得了：在这个社会里，尚有许多在遭遇上极度凄苦无依的孩子们，流落街头、无爹无娘，挣扎着在一个大都会里生存的辛酸以及那露天宿地、三餐无继的另一个生活层面。

　　我看了《三毛流浪记》之后，又看《三毛从军记》。这两本漫画书，其中有泪有笑、有社会的冷酷无情，但同时又有着人性光明面的温暖、同情和爱。成长后又看三毛，看出了书中更多的讽刺以及对于四十年前中国社会的批判。

　　许多年过去了，十九岁时我离开了成长的台湾，在异国生活了二十年。二十年的日子，飘泊的心，以及物质上曾经极度的贫苦拮据，使我常常想起：虽然时代不同了，但那漫画中的小三毛，好似在我无依无靠的流浪生活中，又做了一次或多或少的重演。虽然我本身的生长背景比起漫画中的三毛来说，是幸福太多了。但是在我成长的岁月中，我也遇见过各色各样的人。

张乐平先生，在中国大陆可说是"漫画书"的始创者，他笔下的小三毛，连头发都只有三根，可见这个孩子一切的缺乏。可是三毛是一个很有个性、意志坚强、富有正义感，经历了很多折磨却坚持人生光明信念的孤儿。我们经由这本漫画书，得到的体验，何止是娱乐而已。看《三毛流浪记》内心的滋味十分复杂。

等到有一日，我也拿起笔来写作的时候，我只有一个坚持，那就是：在我的笔下，我所观察、我所记录的人生面相，即使平凡，如我的，但那人性的光辉与高尚，在沉默的大众里，要给这些同类一个肯定、欣赏、认同和了解，甚而理所当然的在生活中继续实践我们的真诚。

于是，在我决定笔名的时候，我选择了"三毛"。

经过了十五年的写作生涯，并没有忘记过那创造"三毛"的父亲——张乐平先生。去年夏天，我在台湾的《国语日报》上看见了一则小消息，报上说"大陆的三毛之父张乐平先生，透露了他的心愿，但愿在有生之年，能够和台湾三毛见面"。我不知这则消息的来源，可是内心非常快乐。

我托亲友带了一封信到上海去。找到了住院在上海"华东医院"的张乐平先生。当时，张乐平先生已经得了"帕金森综合症"住在医院，这种病症，头晕目眩，双手发抖，多半时间躺在床上。

当我的亲友将我的信交给张乐平先生时，他坐了起来，情绪有些激动，但极度的欣慰与快乐。张先生手抖，不能写信，他立即口述，由我的外甥女志群录下了一封长信给我。过了几天，志群再去医院，乐平先生握紧了笔，画下了"三毛"，手里拿着一支好大的笔，双眼炯炯有神，嘴唇的表情坚毅，双脚踏踏实实地分开站稳，左脚长裤上一个补丁，三根头发很有力量地竖在头上——送给了我。这就是他的三毛精神。

　　从那时起，我的心里，对于这位"三毛之父"产生了一种十分微妙的父女般的感觉。在我们的通信中，亲如家人。我们自然而然地话家常，那一份家人的伦理和爱，十分温暖地在我们中间滋长。张乐平先生有七个孩子。乐平先生说，而今，因为我加入了他们的家庭，他的七个孩子，等于音符上的1234567，而我，是那个高音 i。谱成了一条愉快的音谱。

　　《三毛流浪记》这本漫画书，在台湾中年以上的迁台同胞，可说无人不晓。虽然时代已经不同，可是这本书对于中年人重温逝去的时代，对于青少年人了解一个过去的时代，仍是有它再度出版的价值。这本漫画书，在中国大陆至今一版再版，而且还在继续出版中。中国的"小三毛"永恒了。

　　欣见《三毛流浪记》能够在台湾与我们相会，是一件令人欣喜的出版大事，我想说的话还有很多，但请读者进入"三毛"的世界，比起我的介绍来，是更贴切的，在此就不再多言了。谢谢。

一九八九年二月　台湾

三毛流浪到香港
——《三毛流浪记》港版序言

柯 灵

　　已故漫画家张乐平,生长清贫之家,幼年失学,当过学徒。梦笔生花,名登画苑之后,一生孜孜不倦,为贫苦儿童传神写照,代表作《三毛流浪记》里的三毛,半世纪以来,家喻户晓,已成为几代儿童共同的朋友。在上海宋庆龄陵园里,就矗立着乐平和三毛的铜像,与悠悠的岁月同在。现在《三毛流浪记》全集又将在香港出版,使阅尽沧桑的三毛有机会再经历一番人海滔滔红尘滚滚的磨洗,正当这城市陵谷变迁,回归祖国的前夜。

　　三毛伶仃孤苦,无依无靠,是中国下层社会儿童的综合性画像。画家下笔如有神,活画出这流浪儿的天真聪明和勇敢、他的奇行异遇、超年龄负荷的人生历险。1948年,《三毛流浪记》在上海《大公报》连载完毕,画集初版问世,王芸生为之作序,指出三毛问题是社会问题,"是多数中国孩子命运的象征,也是多数贫苦良善中国人民的命运象征"。这一席话,慨乎言之,不但适用于当时的中国,也适用于今日的世界,因为儿童、妇女、一切贫苦善良之伦,命运休咎,永远是衡量世道阴晴、社会文野的标尺。

　　贫苦是社会的痼疾,孤儿的造成,除了不可抗拒的自然原因,绝大多数是人为的灾祸。世局鼎沸,恃强凌弱,杀伐争霸,史不绝书。弥天战火,是制造遍地孤雏的祸胎。政治动荡,罡风横扫千万家,覆巢之下,宁有完卵。殖民主义更使弱小民族沦为鱼肉，积弱的大国遭受宰割，裂土分疆，寄人篱下，宛如民族孤儿。香港的风云变幻，荣枯跌宕，岛上一代又一代的炎黄子孙身历其境，个中况味，冷暖自知。邓小平同志提纲挈领，说香港的繁荣是以中国人为主体的香港人干出来的，可以说是对香港人知疼着热、洞中肯綮的评价。

　　科学进步使物质世界日益绚烂，精神世界却显出相对的贫困与荒芜，现代人的智力能量与道德境界形成巨大的剪刀差。冷战时代终结并没有给世界带来多少暖意，蛮横无忌的飞弹肆虐，空前规模的掳掠人质，防不胜防的恐怖活动，不宣而战的变形战争手段层出不穷，杀伤对象，竟是成群手无寸铁的无辜平民和无知儿童。而母亲谋杀小儿女、狂汉枪扫小学生、父母遗弃婴孩、拐卖妇女儿童、虐待儿童等等灭绝人性的行为，竟在全球范围内时有所闻，这只能认为是人类最大的羞耻。

　　《三毛流浪记》是一部很有趣味的小人书，也是一部给成人看的警世书。三毛身上，背负着沉重的历史阴影，也带来了深刻的历史启示，向世界呼唤和平，呼唤公正，呼唤仁慈，呼唤同情，呼唤人道，呼唤文明！

一九九六年四月二十七日于上海

目　录

三毛流浪记

孤苦伶仃

三毛流浪记

渡河求生

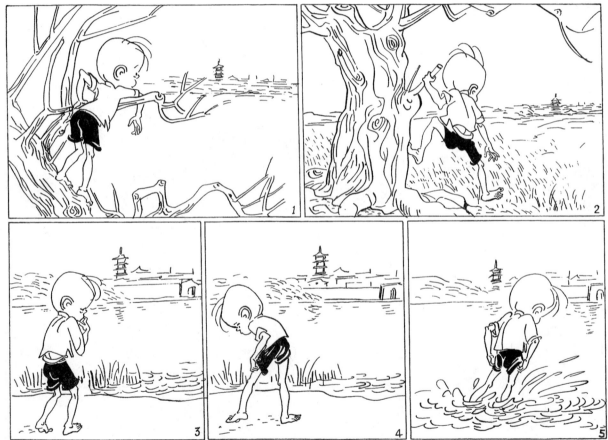

三毛流浪记
获得温暖

三毛流浪记

练习撒网

三毛流浪记

意外收获

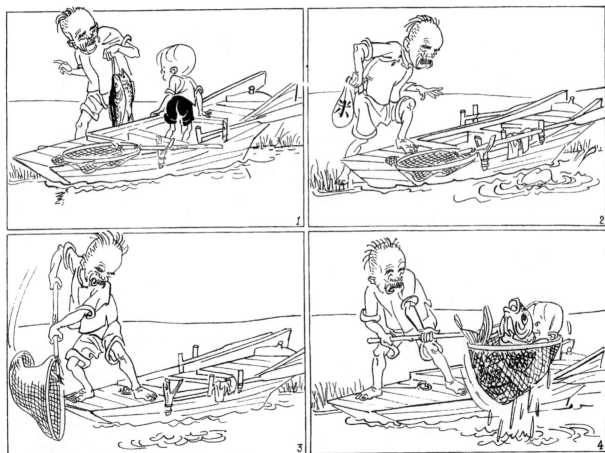

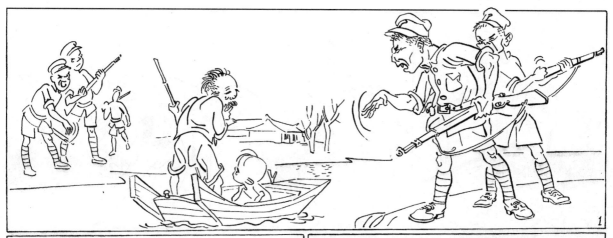

三毛流浪记
前倨后恭

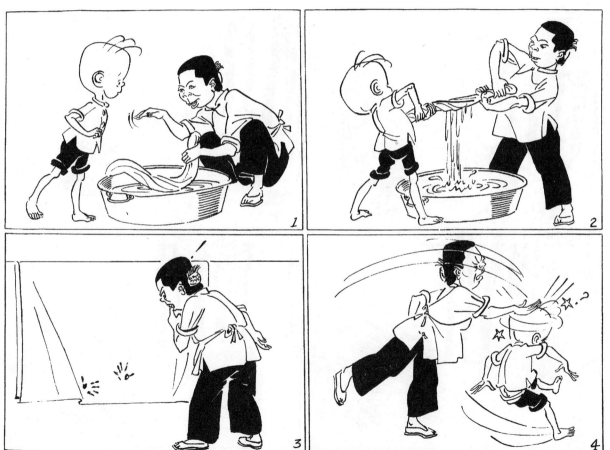

三毛流浪记

不白之冤

三毛流浪记

出口怨气

三毛流浪记

美梦幻灭

三毛流浪记

虚有其表

三毛流浪记

也是平的

三毛流浪记

有饼难吃

三毛流浪记

废物利用

三毛流浪记
威胁之下

三毛流浪记

不如洋娃

三毛流浪记

口渴难忍

34

三毛流浪记

狼吞虎咽

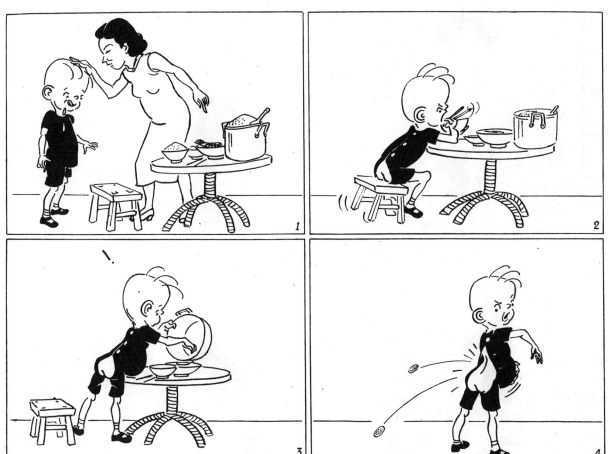

三毛流浪记

雨过天晴

40

三毛流浪记

防不胜防

三毛流浪记

难于掩护

三毛流浪记

盯错对象

三毛流浪记

拔拳相助

44

47

三毛流浪记

得意忘形

三毛流浪记
过度兴奋

49

三毛流浪记

难得享受

三毛流浪记

束手无策

三毛流浪记

顾 此 失 彼

三毛流浪记

急不可耐

58

三毛流浪记

情 不 自 禁

三毛流浪记

前车之鉴

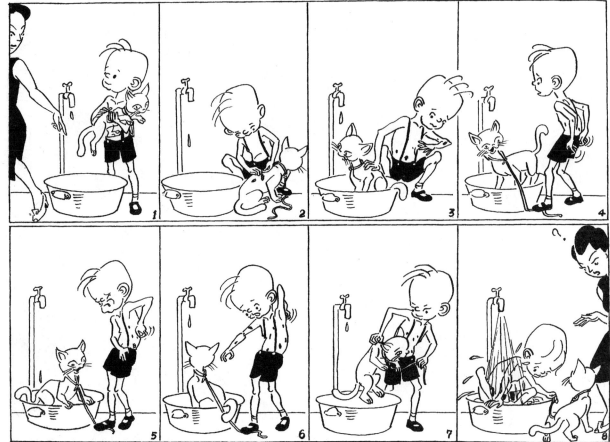

三毛流浪记

看谁的好

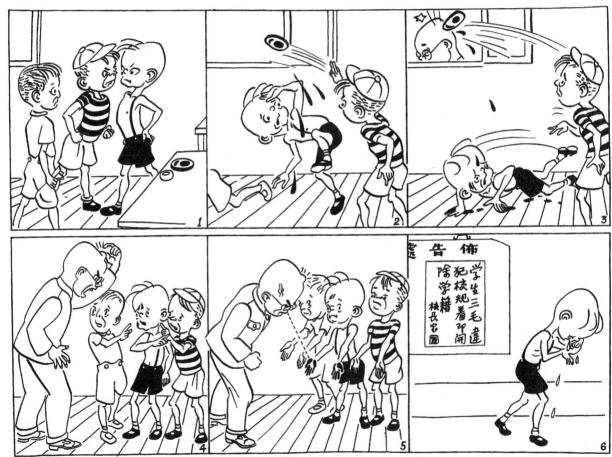

三毛流浪记

各自东西

三毛流浪记

一 得 一 失

71

75

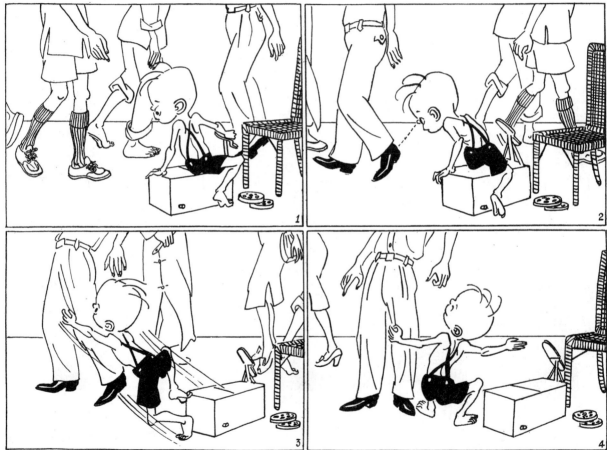

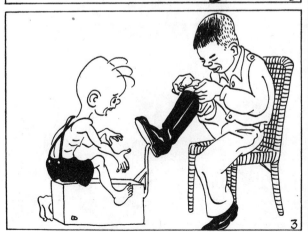

三毛流浪记

警察来了

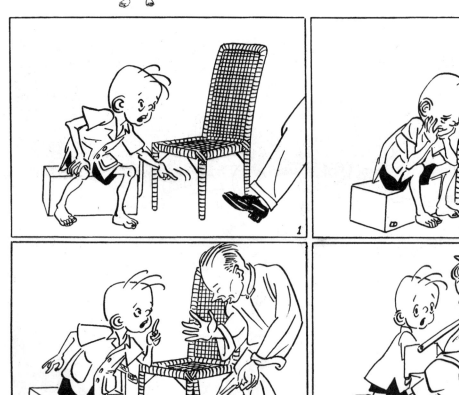

三毛流浪记

到处碰壁

85

三毛流浪记

力 不 胜 任

三毛流浪记

被窝着火

三毛流浪记

去当学徒

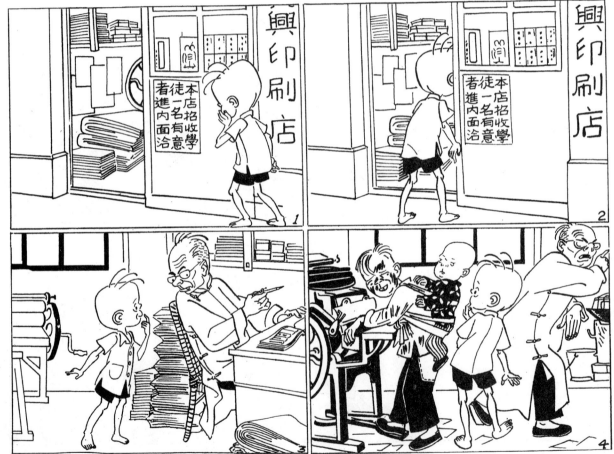

三毛流浪记

乌烟瘴气

三毛流浪记
残羹剩饭

三毛流浪记

劳而无功

三毛流浪记

顾 东 失 西

三毛流浪记

投 猫 遭 打

三毛流浪记

空 的 饭 桶

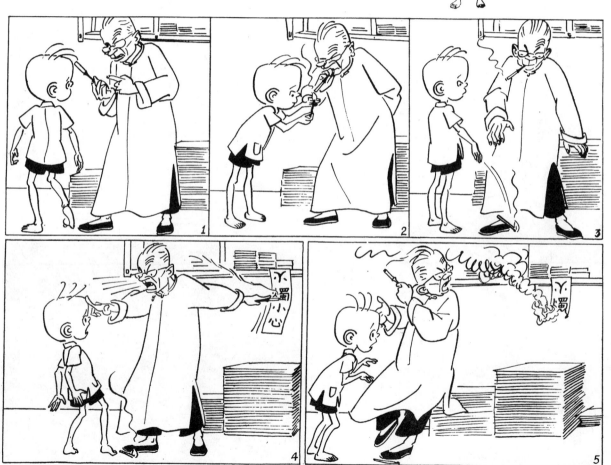

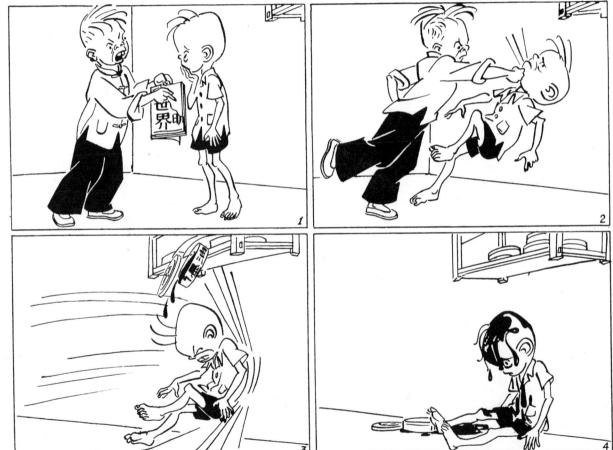

107

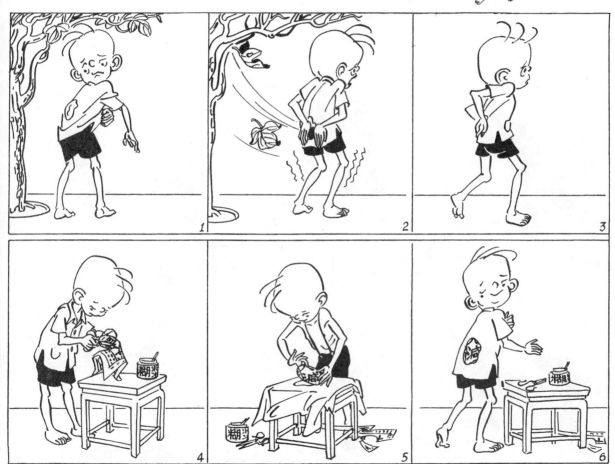

三毛流浪记

自己补去

三毛流浪记

人非草木

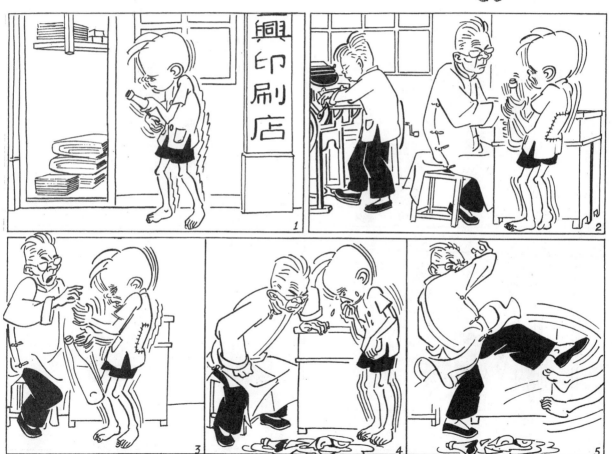

113

三毛流浪记

还有好人

三毛流浪记

疲 于 奔 命

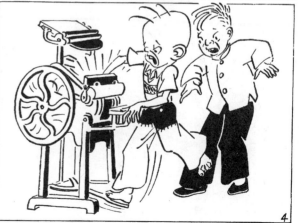

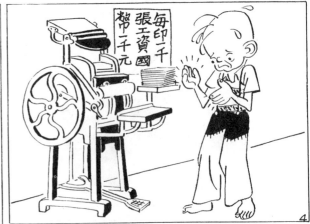

三毛流浪记

闻所未闻

122

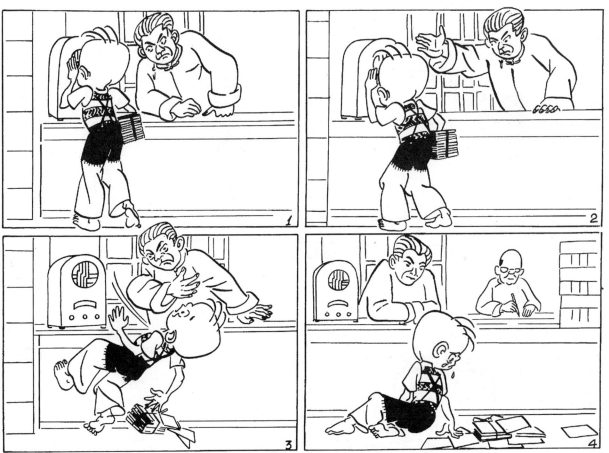

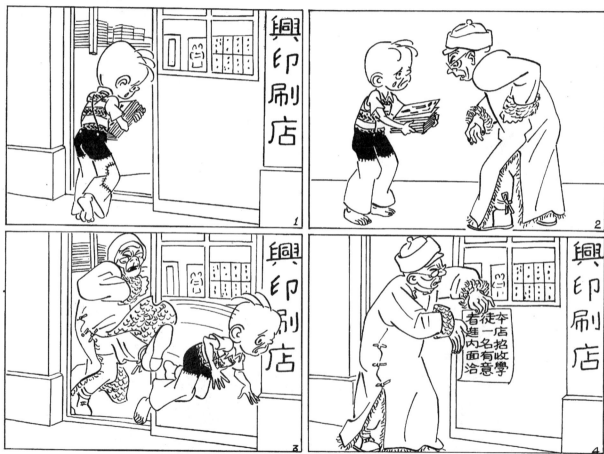

三毛流浪记

卖弄臭钱

三毛流浪记

捡了就走

三毛流浪记
目不忍睹

三毛流浪记

扶持老人

三毛流浪记
全部给你

三毛流浪记

竟有好人

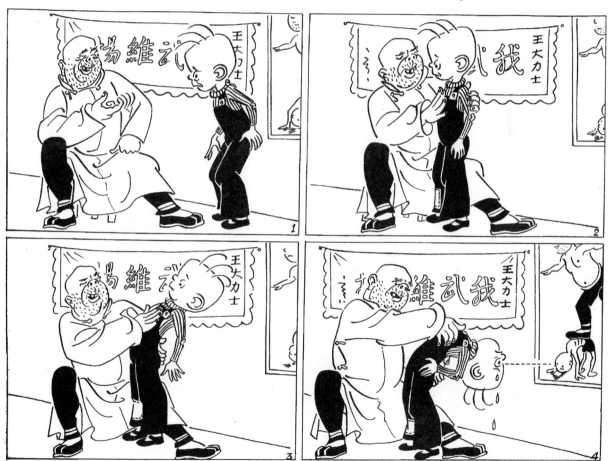

143

三毛流浪记

乘便酣睡

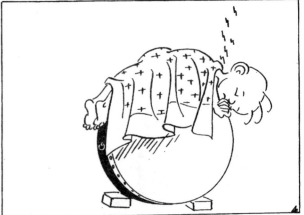

144

三毛流浪记

逼练苦功

146

三毛流浪记

初学乍练

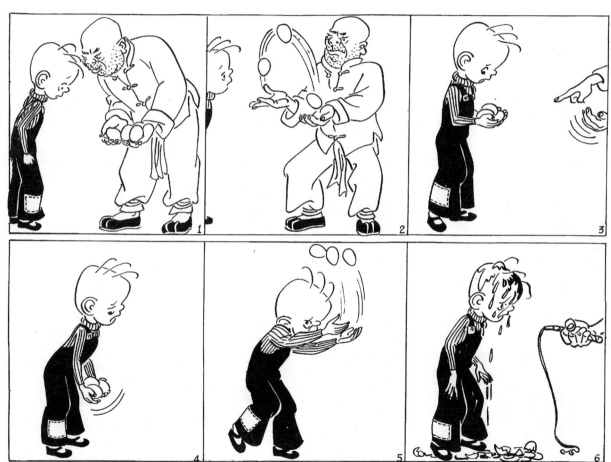

三毛流浪记

真吃不消

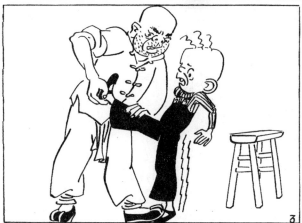

三毛流浪记

魂不附体

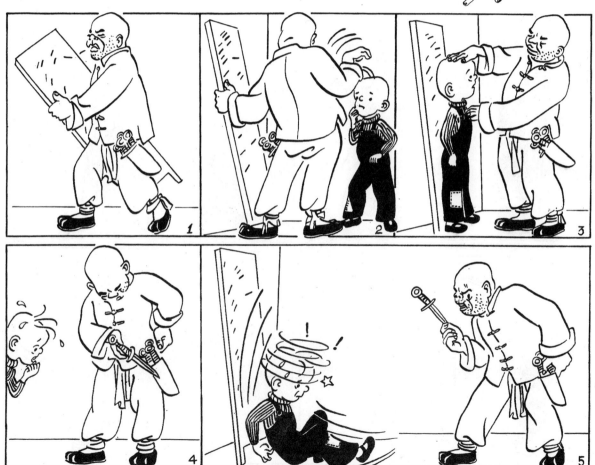

三毛流浪记

还有花样

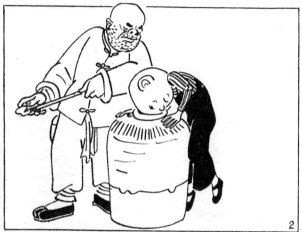

153

三毛流浪记

藏身破瓮

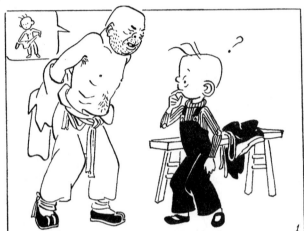

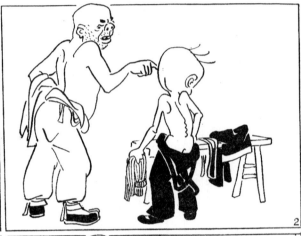

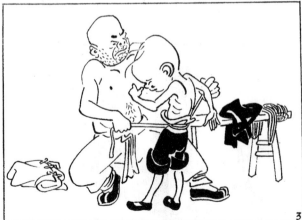

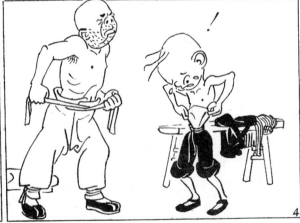

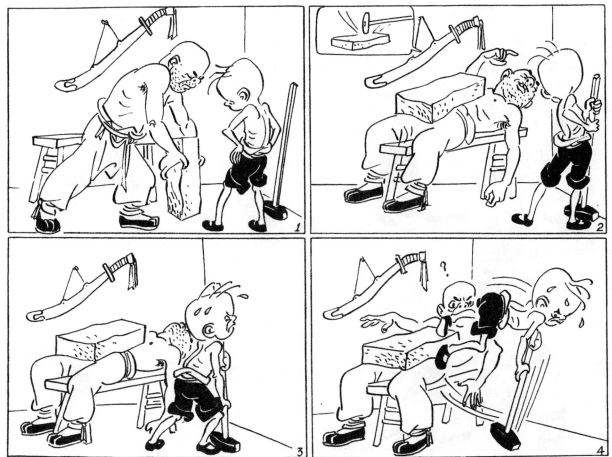

157

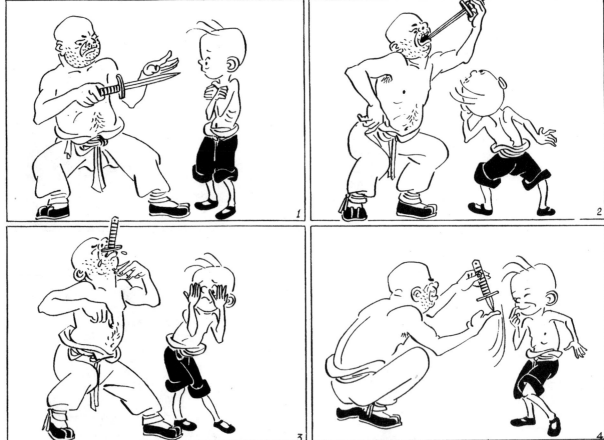

159

三毛流浪记

架子十足

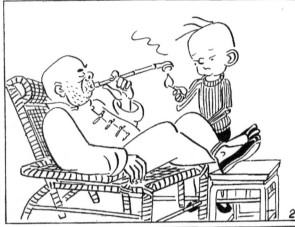

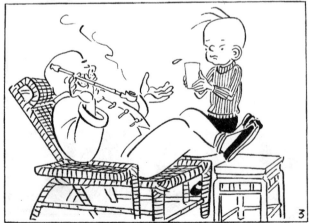

三毛流浪记

梦见母亲

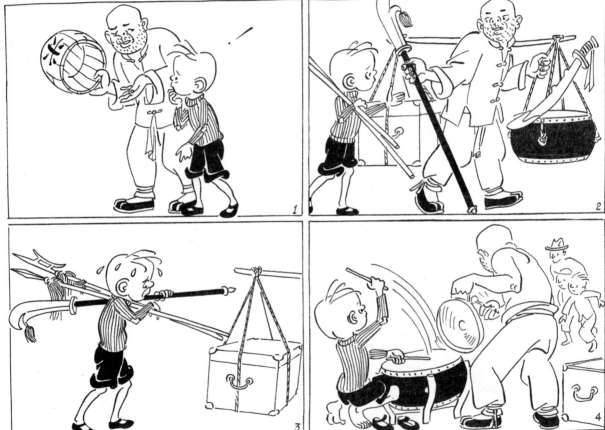

三毛流浪记

泄露机关

三毛流浪记

太卖劲了

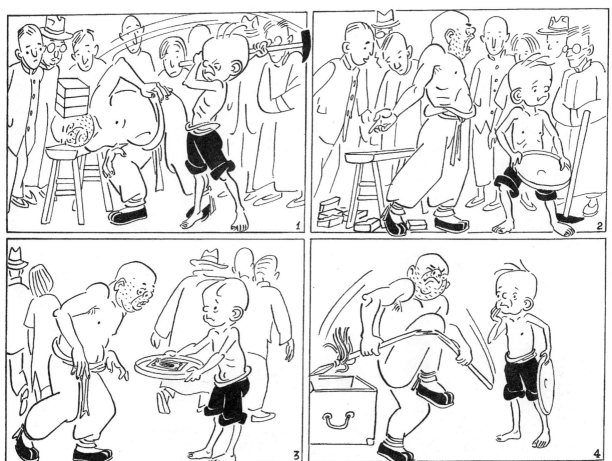

三毛流浪记

只好分手

170

三毛流浪记
寒暖不宜

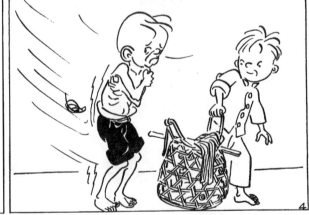

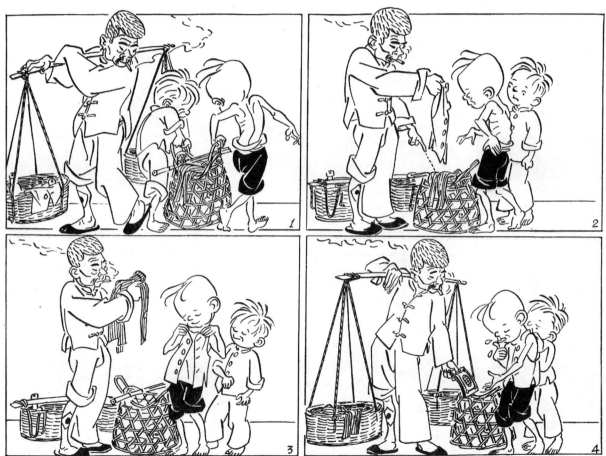

三毛流浪记

坐车回家

三毛流浪记

前功尽弃

三毛流浪记

越洗越脏

183

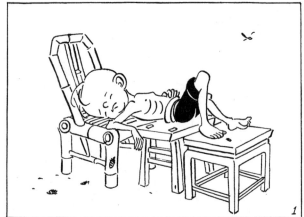

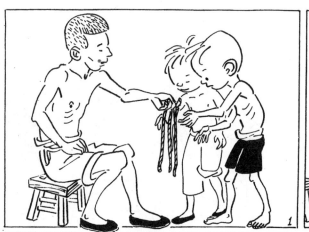

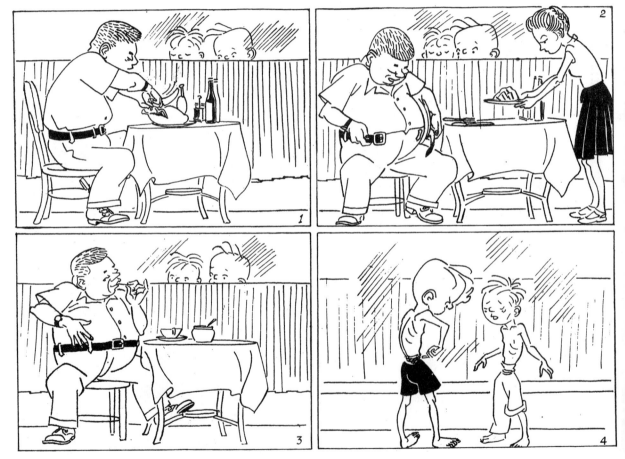

三毛流浪记

两个行列

197

201

三毛流浪记

又 来 一 个

三毛流浪记

争吃囚粮

三毛流浪记

满地臭虫

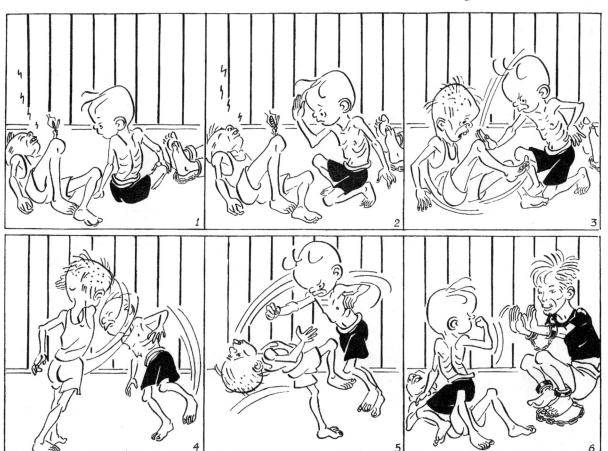

三毛流浪记

如此卫生

206

三毛流浪记

并不光荣

207

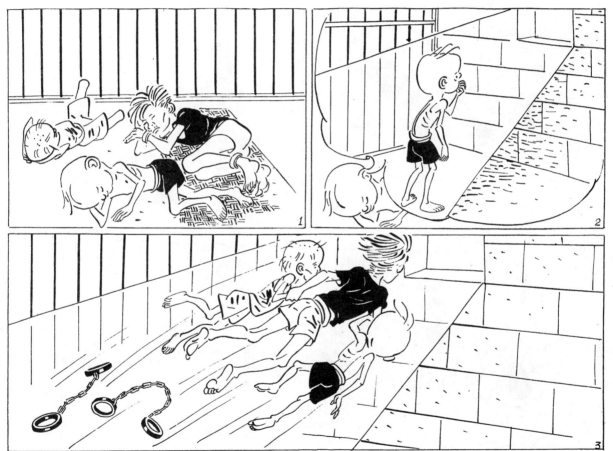

三毛流浪记

梦入乐园

三毛流浪记

十分快乐

本廠受ＸＸ公司委托兴建堆棧不日开工所有棚户越日要拆让是为尅日要此佈

ＸＸ营造廠

217

219

三毛流浪记

大 吃 一 顿

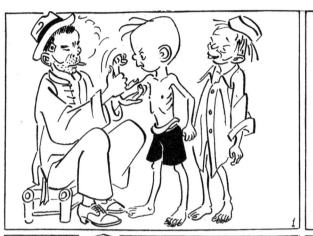

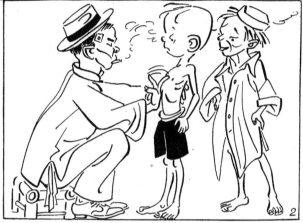

三毛流浪记

扣 了 半 天

228

三毛流浪记

抢棉遭打

三毛流浪记
奖烟一支

235

三毛流浪记

没有买到

236

三毛流浪记

寒冬到了

三毛流浪记

无 法 交 差

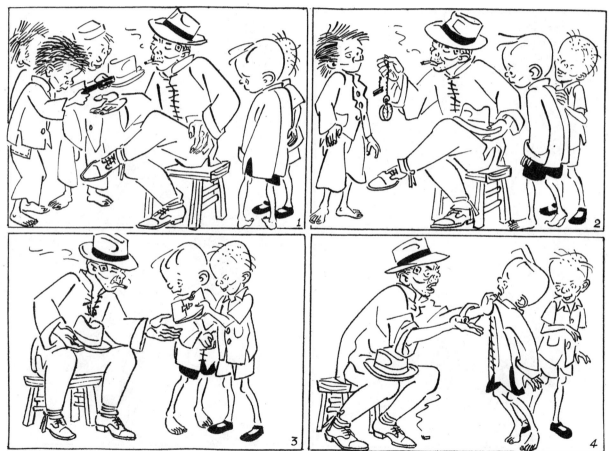

241

三毛流浪记

不要你的

赶出队伍

三毛流浪记

破衣遮身

三毛流浪记

无处藏身

三毛流浪记

臭不可闻

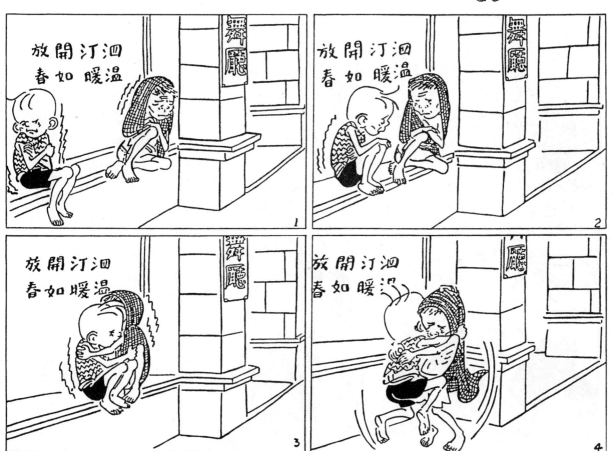

三毛流浪记
舞罢通宵

256

三毛流浪记

被挤受伤

259

260

（上海三毛形象发展有限公司注册商标）

http://www.sanmao.com.cn

http:www.sanmao.cn

图书在版编目(C I P)数据

三毛流浪记全集/张乐平原作.—上海：少年儿童出版社,2011.10

ISBN 978-7-5324-8882-7

Ⅰ.①三... Ⅱ.①张... Ⅲ.①漫画：连环画—作品集—中国—现代 Ⅳ.①J228.2

中国版本图书馆CIP数据核字 (2011) 第190518号

三毛流浪记（全集）

张乐平 原作

陆　及 装帧

俞创硕 摄影

责任编辑 王芸美　美术编辑 陈　新

责任校对 陶立新　技术编辑 吴轶伟

出版 上海世纪出版股份有限公司少年儿童出版社

地址 200052　上海延安西路 1538 号

发行 上海世纪出版股份有限公司发行中心

地址 200001　上海福建中路 193 号

易文网 www.ewen.cc　少儿网 www.jcph.com

电子邮件 postmaster @ jcph.com

印刷 常熟市华通印刷有限公司

开本 787×1092　1／24　印张 12

2012 年 7 月新 1 版第 4 次印刷

ISBN 978-7-5324-8882-7／J·212

定价 18.00 元

Momentarily spent from the grief, I stand gasping and helpless, watching Maureen quickly replace the card among the others in the rack.

She turns, regarding me soberly, searchingly, her forehead wrinkled, her face flushed with concern. Blowing my nose, I shake my head silently from side to side, wondering why it had to be Rick, why it had to be this way with it claiming so many of us, whether by grief, guilt or shame it hardly mattered. Once again, definitively, I blow my nose, placing the used tissue in my pocket, remembering how Mother carried her wads of used tissues, and smiling slightly now in spite of myself. Breathing is easier.

Clearing my throat and sighing deeply I still wonder: why Rick, my Rick? Why was Maureen way at the end of the bar, almost out of sight but not quite? Why did Rick see her and encourage her, even making sure I met her by dancing me over to the end of the shining bar? Why not, some would say, shrugging. Smiling, others might not say a word.

Looking up into her eyes, those lovely warm brown eyes, the sheet of icy mourning inside me cracks and breaks up, the crevices admitting light and air to what was once impenetrable.

Maureen puts her arms around me, hugging me to her. "C'mon Lucy," she says simply. "We need to go home." And we do.

About the Author

Whitney Scott lives and writes in the rural arts community of Crete, Illinois. Her writings have appeared in numerous publications from coast to coast, including *Tomorrow Magazine, Pearl, Wide Open, Amethyst* and *Howling Dog*. She is the author of two chapbooks, *Listen to the Moon* and *In the Field*. Scott is also accomplished in the field of book arts; descendent of a long line of European book binders, she makes and marbles paper by hand and is a skilled hand book binder.